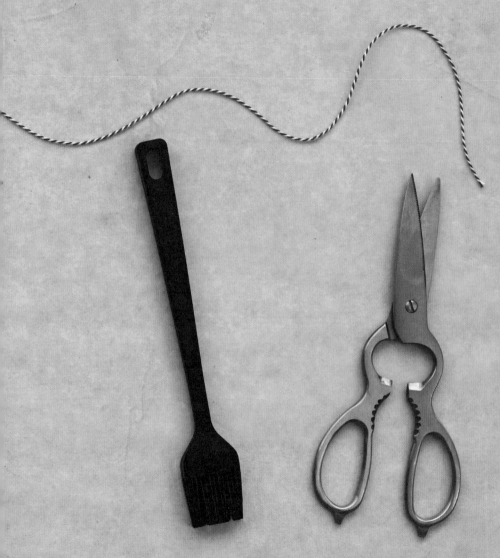

Dans la papillote, les aliments cuisent doucement à la vapeur (en circuit fermé) et conservent leurs nutriments. C'est parfait aussi pour ceux qui souhaitent garder leur ligne. Quelques recommandations pour des papillotes réussies et juste cuites :

- Privilégiez les petites quantités individuelles.
- N'oubliez pas de préchauffer le four.
- Le papier sulfurisé est parfait pour préparer les papillotes et, à présent, il existe également des papillotes en silicone.
- Coupez ou émincez les aliments pour qu'ils cuisent plus rapidement.
- Adoptez le temps de cuisson en fonction de la taille du morceau et de la nature de l'aliment. Retenez que le poisson cuit en général plus vite que la viande.
- Ne mettez pas trop de liquide : limitez-vous à un filet d'huile d'olive ou à 1 cuillerée à soupe de vin blanc, de crème liquide ou de jus de citron.
- La cuisson est très rapide. Souvent, il ne faut pas plus de 20 minutes.

La cuisson en papillote permet de garder le goût et les parfums des aliments. Mettez vos viandes et vos poissons à mariner au moins un quart d'heure au frais.

Associez de la sauce soja et de l'huile d'olive, faites revenir des échalotes dans du beurre, ajoutez des agrumes à vos marinades.

Quelques épices pour donner du piquant et des herbes fraîches pour parfumer. Mais attention, pas de mélanges savants : privilégìez la simplicité.

Sandra Mahut

papillotes

photographies David Japy
stylisme Sandra Mahut

LES PETITS PLATS
MARABOUT
ORIGINAUX & AUTHENTIQUES
DEPUIS L'AN 2000

sommaire

| kit | assaisonnement pour les viandes

Les viandes blanches, comme le lapin, la dinde, le poulet et le veau, cuisent très bien dans la papillote ; le porc et le canard doivent mariner un peu plus longtemps. Les viandes rouges, en revanche, réagissent mal à la cuisson vapeur et les papillotes ne s'y prêtent donc pas. Pour faciliter la cuisson, toutes les viandes doivent être coupées en fines lanières ou alors en dés.

kit n° 1

piment
huile d'olive
paprika
ail en poudre
thym

kit n° 2

miel
cumin
sésame
huile d'olive
romarin

kit n° 3

curry
cerfeuil
crème liquide
lardons fumés

kit n° 4

échalotes
pistaches
baies roses
cidre ou cognac

kit assaisonnement pour les poissons

La cuisson en papillote est excellente pour les poissons : cuits à la vapeur, ils gardent leur texture et leur tendresse et ils ne se dénaturent pas. C'est le moyen le plus simple et le plus « inodorant ». À adopter sans modération !

kit n° 1

jus d'orange
graines d'anis
huile d'olive

kit n° 2

menthe
crème liquide
jus de citron vert
gingembre

kit n° 3

citronnelle
feuilles de bergamote
lait de coco
coriandre

kit n° 4

citron jaune
huile d'olive
vin blanc
poivre vert du moulin
sauge
ail en poudre

assaisonnement pour les desserts

Tous les fruits aiment « compoter », et puis la cuisson d'un fruit à la vapeur est une astuce saine pour faire manger des fruits aux enfants qui n'aiment pas les fruits en général. Préparez les papillotes avec eux, ils vont adorer !

kit n° 1

sirop d'érable
spéculos écrasés
cannelle en poudre

kit n° 2

pépites de chocolat
noix de coco râpée

kit n° 3

jus de fruits
amandes effilées
badiane
miel

kit n° 4

sucre vanillé
yaourt nature
eau de rose
ou de fleur d'orange

cabillaud crémeux à la menthe

4 dos de cabillaud de 150 à 200 g
8 brins de menthe fraîche
30 cl de crème épaisse
1 citron vert
1 pincée de paprika
4 cuillères à soupe d'huile d'olive
sel et poivre

Préchauffer le four à 210 °C (th. 7).

Pour préparer les papillotes, découper 4 feuilles de papier sulfurisé de 20 cm sur 30. Badigeonner les feuilles d'huile d'olive à l'aide d'un pinceau.

Hacher la menthe fraîche. Récupérer le zeste du citron vert et le hacher au couteau. Mélanger la menthe et le zeste de citron avec la crème épaisse salée et poivrée à votre goût, puis ajouter la pincée de paprika.

Disposer les dos de cabillaud dans les papillotes, verser la crème à la menthe, arroser d'un filet très léger d'huile d'olive, saler, poivrer et parsemer encore de zeste de citron et de menthe hachée.

Refermer la papillote avec soin et enfourner 15 minutes en fonction de l'épaisseur du morceau de cabillaud.

Servir avec des petites pommes de terre vapeur, un quartier de citron vert et une salade de mesclun.

dorade grise orange & fenouil

2 dorades de 500 g chacune
(vidées et écaillées)
1 orange
1 fenouil
1 cuillère à café de graines
de fenouil ou d'anis
1 demi-bouquet d'aneth
sel et poivre
gomasio (facultatif)

(le gomasio est un sel
de sésame, que l'on trouve dans
les épiceries spécialisées)

Préchauffer le four à 210 °C (th. 7).

Couper le fenouil en tranches fines et l'orange en deux.

Pour préparer les papillotes, découper 4 feuilles de papier sulfurisé et les superposer deux par deux. Badigeonner la feuille du dessus d'huile d'olive à l'aide d'un pinceau.

Disposer le fenouil sur les deux feuilles de papier sulfurisé ou dans les papillotes en silicone de grande taille.

Déposer les dorades sur les lits de fenouil. Farcir chaque dorade avec l'aneth en branches. Presser les moitiés de l'orange sur chaque dorade, parsemer de graines de fenouil et d'écorces prélevées sur l'orange. Saler, poivrer et verser un filet d'huile d'olive.

Fermer la papillote avec soin, hermétiquement. Les enfourner sur une plaque pendant 15 à 20 minutes environ.

lieu sur lit d'épinards & cives

4 filets de lieu de 150 à 180 g
par personne
600 g d'épinards en branche
4 cuillères à soupe d'huile d'olive
4 cives, ou une grosse ciboulette
(à défaut du vert de poireaux)
poivre saveur à la cardamome
fleur de sel

Préchauffer le four à 200 °C (th. 7).

Pour préparer les papillotes, découper 8 feuilles de papier sulfurisé et les superposer deux par deux. Badigeonner la feuille du dessus d'huile d'olive à l'aide d'un pinceau.

Laver les épinards à grande eau, retirer les queues des branches. Ciseler les épinards en lanières.

Disposer chaque poisson dans un rectangle de papier sulfurisé par-dessus un lit d'épinards ciselés. Arroser le filet de poisson d'un filet d'huile d'olive et parsemer de fleur de sel, de poivre à la cardamome et de cives ciselées.

Refermer les papillotes avec soin, hermétiquement. Placez les papillotes sur la plaque du four ou dans un plat à gratin. Enfourner les papillotes pendant 12 à 15 minutes environ. (Les épinards doivent fondre !)

papillote thaïe

300 g de filet de poisson blanc
(julienne, flétan, cabillaud, colin,
lotte)
1 boîte de chair de crabe
150 g de petites crevettes roses
décortiquées
½ botte de coriandre fraîche
1 morceau de gingembre frais
de 1 cm
10 cl de lait de coco
1 échalote
½ gousse d'ail écrasée
1 pincée de paprika ou de piment
d'Espelette
sel, poivre du moulin
2 feuilles de bananier
1 citron vert
1 panier vapeur en bambou ou un
four vapeur

Mettre tous les ingrédients découpés en morceaux dans le mixeur (sauf le citron vert et les feuilles de bananier). Mixer 1 à 2 minutes afin d'obtenir une pâte ni trop liquide, ni trop compacte.

Saler et poivrer la préparation, ajouter un filet de jus de citron vert. Rectifier l'assaisonnement avec 1 pincée ou 2 de piment doux selon votre goût. Laver les feuilles de bananier, les sécher et y couper 4 carrés de 20 à 30 cm de côté.

Déposer deux à trois cuillères à soupe de la préparation dans la feuille de bananier en formant une sorte de galette.

Rabattre deux côtés opposés de la feuille en formant des paquets, les fixer à l'aide de ficelle ou de piques en bois. Déposer les papillotes dans un panier vapeur en bambou, dans le four vapeur ou dans la papillote en silicone.

Faire chauffer une grande casserole d'eau. Lorsqu'elle bout, poser le panier vapeur sur la casserole du même diamètre. Laisser cuire à la vapeur 10 à 12 minutes.

Servir les papillotes avec un quartier de citron vert et une crevette rose.

pavé de saumon tout simple

4 pavés de saumon de 150 g
environ
1 blanc de poireau
1 branche de citronnelle
4 brins de coriandre
4 cuillères à soupe d'huile d'olive
sel de Guérande et poivre du
moulin

Préchauffer le four à 210 °C (th. 7).

Pour préparer les papillotes, découper 8 feuilles de papier sulfurisé et les superposer deux par deux. Badigeonner la feuille du dessus d'huile d'olive à l'aide d'un pinceau.

Couper le blanc de poireau en très fines rondelles, les répartir dans chaque papillote. Couper la branche de citronnelle en rondelles très fines.

Poser les pavés de saumon sur les rondelles de poireau puis parsemer de rondelles de citronnelle.

Disposer aussi des rondelles de poireau sur le saumon, saler et poivrer, arroser d'un filet d'huile d'olive et fermer les papillotes avec soin. Les mettre sur une plaque de cuisson et laisser cuire pendant 12 à 15 minutes selon le poids du pavé.

Servir avec un peu de coriandre fraîche ciselée.

rôti de saumon aux tomates séchées estragon
& sa sauce blanche aux herbes

1 filet de saumon d'un kilo environ
8 à 10 tomates séchées
1 bouquet d'estragon
2 cuillères à soupe de pesto rosso
sel et poivre du moulin
1 ou 2 cuillères à soupe d'huile d'olive
4 cuillères à soupe de fromage blanc
1 cuillère à soupe de fromage frais
1 cuillère à soupe de crème fraîche
1 cuillère à café de moutarde épicée
sel, poivre
2 échalotes
herbes fraîches hachées (persil plat, ciboulette et estragon)
1 pincée de cumin

Préchauffer le four à 180 °C (th. 6).

Enlever la peau du filet de saumon. Couper le bout du filet qui est le plus petit et le mettre de côté. Couper le filet en deux dans le sens de la longueur, retirer les arêtes, s'il y en a, à l'aide d'une pince.

Badigeonner les deux morceaux de saumon de pesto rosso, disposer par-dessus les tomates séchées et des feuilles d'estragon.

Placer les deux demi-filets de saumon l'un sur l'autre tête-bêche en prenant soin de placer le plus beau côté sur le dessus.

Ficeler les filets bien ensemble à plusieurs endroits en faisant plusieurs petits nœuds avec de la ficelle à rôti.

Placer le rôti sur une feuille de papier sulfurisé préalablement huilée au pinceau. Enfourner le rôti pendant 15 minutes.

Pour la sauce blanche crémeuse aux herbes fraîches, mélanger dans un bol le fromage blanc avec le fromage frais, la crème fraîche et la moutarde épicée. Saler et poivrer selon votre goût.

Hacher les deux échalotes et les ajouter à la sauce, puis les herbes fraîches hachées.

Ajouter une pincée de cumin et rectifier l'assaisonnement.

filets de rouget à l'anchois
& aux tomates cerises

8 filets de rouget (soit 4 rougets)
10 anchois au sel
3 brins de basilic ou de persil plat
40 g de beurre
4 petites grappes de tomates
cerises
poivre du moulin et fleur de sel
1 cuillère à soupe d'huile d'olive

Préchauffer le four à 180 °C (th. 6).

Demander au poissonnier de vider et d'écailler vos rougets, d'en couper la tête et d'en lever les filets (deux par poisson).

Pour préparer les papillotes, découper 8 feuilles de papier sulfurisé et les superposer deux par deux. Badigeonner la feuille du dessus d'huile d'olive à l'aide d'un pinceau.

Écraser les anchois avec le beurre un peu mou à l'aide d'une fourchette, ajouter les herbes ciselées et le poivre.

Répartir cette farce entre deux filets de rouget disposés dans la papillote. Ajouter une grappe de tomates cerises. Verser un léger filet d'huile d'olive et refermer la papillote avec soin.

Enfourner les papillotes pendant 15 à 20 minutes environ.

roulade de filets de sole à la citronnelle
(crème infusée à la citronnelle)

12 filets de sole
1 citron vert
1 tige de citronnelle
20 cl de crème liquide
sel et poivre

Préchauffer le four à 180 °C (th. 6).

Dans une petite casserole, faire chauffer la crème liquide avec la tige de citronnelle coupée en 2 dans le sens de la longueur. Laisser infuser 5 minutes.Retirer la citronnelle.

Pour préparer les papillotes, découper 8 feuilles de papier sulfurisé et les superposer deux par deux. Badigeonner la feuille du haut d'huile d'olive à l'aide d'un pinceau.

Arroser les filets de sole de jus de citron vert. Rouler les filets sur eux-mêmes de façon à obtenir 4 petits rouleaux, les fixer avec une pique en bois.

Disposer 3 rouleaux de sole dans une feuille de papier sulfurisé, verser dessus la crème liquide infusée, saler, poivrer et refermer hermétiquement.

Poser les papillotes sur la plaque de votre four. Faire cuire pendant 8 minutes.

Servir avec du riz basmati *al dente*.

filets de truite au cresson

4 filets de truite de mer
1 botte de cresson
1 cuillère à café d'ail en poudre
20 g de tomates demi-séchées
4 brins de romarin
4 cuillères à soupe de crème liquide
sel et poivre

Préchauffer le four à 180 °C (th. 6).

Laver et essorer le cresson comme des épinards. Couper la tige épaisse et garder le haut des feuilles. Faire cuire le cresson frais dans un peu d'eau salée pendant 3 à 4 minutes. Égoutter et mixer avec la crème liquide, l'ail en poudre, le sel et le poivre.

Pour préparer les papillotes, découper 8 feuilles de papier sulfurisé et les superposer deux par deux. Badigeonner la feuille du haut d'huile d'olive à l'aide d'un pinceau.

Disposer les truites parées sur un lit de sauce, puis déposer les tomates demi-séchées, arroser d'un léger filet d'huile d'olive, saler et poivrer.

Déposer enfin les brins de romarin. Fermer les papillotes hermétiquement. Enfourner 15 à 20 minutes selon le poids du poisson.

rôti de lotte au haddock fumé

1 queue de lotte de 700 g
400 g de filet de haddock fumé
10 cl de vin blanc
10 cl d'huile d'olive
4 branches de thym
3 feuilles de laurier
sel et poivre 5 baies

Préchauffer votre four à 210 °C (th. 7).

Faire enlever la peau de la queue et l'arête centrale de la lotte par le poissonnier. Couper la queue en deux dans le sens de la longueur : vous aurez alors 2 filets de lotte.

Superposer les deux parties de lotte tête-bêche avec, au centre, le filet de haddock pris en sandwich. Ficeler le rôti sur toute la longueur en faisant des petits nœuds. (Vous pouvez aussi demander à votre poissonnier de faire tout cela.)

Découper 2 feuilles de papier sulfurisé de 40 cm sur 30. Badigeonner les feuilles du haut d'huile d'olive à l'aide d'un pinceau. Déposer le rôti dessus et arroser d'un filet d'huile d'olive. Parsemer de thym, ajouter le vin blanc et le laurier. Saler et poivrer.

Fermer la papillote avec soin, hermétiquement. Enfourner pendant 20 à 25 minutes environ.

petit rôti de dinde au butternut et au cheddar

4 escalopes fines de dinde
¼ de butternut ou de potimarron
2 cuillères à café de paprika
4 tranches de cheddar ou de gouda
par défaut
1 cuillère à soupe d'huile d'olive
fleur de sel
poivre 5 baies

Préchauffer le four à 210 °C (th. 7).

Étaler les escalopes de dinde sur le plan de travail, saler et poivrer, parsemer de paprika. Couper le butternut en fines tranches d'un demi-centimètre d'épaisseur.

L'étaler sur la première partie de l'escalope de dinde, ajouter les tranches de cheddar dessus et rouler le petit rôti. Recouper le rouleau en deux morceaux.

Couper 4 carrés de papier sulfurisé de 20 cm de côté. Les badigeonner d'huile d'olive. Disposer un petit rôti par feuillle, refermer la feuille en forme de bonbon et ficeler les extrémités avec de la cordelette à rôti.

Fermer la papillote avec soin et enfourner pour 8 à 10 minutes.

blanquette de veau rapido

500 g de noix de veau ou escalope
3 cuillères à soupe pleines de
crème fraîche épaisse
150 g de champignons de Paris
frais
15 cl de vin blanc sec
2 cuillères à soupe de raisins secs
1 cuillère à café de fond de veau
2 pincées de muscade
1 échalote
20 g de beurre
½ cuillère à café de Maïzena
sel de Guérande
poivre du moulin

Préchauffer votre four à 180 °C (th. 6).

Découper la noix de veau en dés ou en lanières. Dans une petite casserole, laisser fondre l'échalote hachée sans coloration avec 20 g de beurre puis ajouter le fond de veau en poudre.

Déglacer avec le vin blanc, ajouter la Maïzena préalablement délayée dans une cuillère d'eau froide et mélanger sans cesse. Laisser la sauce s'épaissir puis ajouter la crème, 2 pincées de muscade et les raisins secs. Poivrer et laisser frémir 2 minutes.

Laver et équeuter les champignons de Paris, puis les émincer.

Pour préparer les papillotes, découper 8 feuilles de papier sulfurisé et les superposer deux par deux. Badigeonner la feuille du dessus d'huile d'olive à l'aide d'un pinceau.

Répartir les champignons de Paris émincés, puis les dés ou les lanières de veau, dans les 4 feuilles de papier, napper de sauce crémeuse puis refermer les papillotes avec soin.

Faire cuire les papillotes sur la plaque du four pendant 12 à 15 minutes.

roulade de dinde à la sauge

4 escalopes de dinde fines
4 tranches de pancetta fines ou de
jambon fumé de montagne
1 boule de mozzarella
4 cuillères à soupe d'huile d'olive
4 feuilles de sauge
4 cuillères à soupe de marsala
fleur de sel, poivre 5 baies

Préchauffer votre four à 210 °C (th. 7).

Aplatir les escalopes de dinde à l'aide d'un aplatisseur de viande ou un rouleau à pâtisserie.

Saler et poivrer généreusement chaque escalope de dinde, poser par-dessus 1 tranche de pancetta, 1 tranche de mozzarella puis les rouler sur elles-mêmes. Ajouter la feuille de sauge sur le petit rouleau.

Enfoncer une pique en bois dans chaque roulade pour la maintenir.

Pour préparer les papillotes, découper 8 feuilles de papier sulfurisé et les superposer deux par deux. Badigeonner la feuille du haut d'huile d'olive à l'aide d'un pinceau.

Disposer chaque roulade dans une papillote et poser une feuille de sauge sur chacune. Verser une cuillère à soupe de marsala dans chaque papillote, saler et poivrer encore puis la refermer avec soin, hermétiquement.

Enfourner et laisser cuire 12 minutes.

lapin à la moutarde anglaise

600 g de filet de râble de lapin
2 cuillères à soupe de crème
fraîche épaisse
2 cuillères à soupe de moutarde
anglaise ou de moutarde au miel
ou à l'ancienne
2 pincées de muscade
100 g de champignons de Paris
fleur de sel
poivre 5 baies
4 lamelles de gruyère

Préchauffer votre four à 180 °C (th. 6).

Laver et équeuter les champignons de Paris, les émincer. Mélanger dans un bol les morceaux de lapin avec la moutarde et la crème fraîche, le sel, le poivre et la muscade. Ajouter les champignons.

Pour préparer les papillotes, découper 8 feuilles de papier sulfurisé et les superposer deux par deux. Badigeonner la feuille du haut d'huile d'olive à l'aide d'un pinceau.

Répartir les morceaux de lapin dans 4 feuilles de papier sulfurisé, napper de sauce aux champignons, saler et poivrer. Déposer 1 ou 2 lamelles de gruyère très fines et refermer les papillotes avec soin.

Faire cuire les papillotes sur la plaque du four pendant 12 à 15 minutes.

poulet coco

3 blancs de poulet fermier
1 oignon
1 gousse d'ail
1 cuillère à soupe d'huile d'olive
25 cl de lait de coco
1 cuillère à café de gingembre
en poudre
1 cuillère à café de citronnelle
hachée
5 brins de basilic thaï (basilic
violet)
1 cuillère à café de sauce
nuoc-mâm
2 citrons verts
fleur de sel
poivre du moulin

Préchauffer le four à 210 °C (th. 7).

Émincer finement l'oignon et l'ail. Couper les blancs de poulet en gros dés ou en lamelles. Faire fondre l'oignon avec l'huile d'olive dans une petite casserole. Ajouter la gousse d'ail et la citronnelle hachés.

Au bout de 2 minutes, ajouter le lait de coco, le jus d'un demi-citron vert et la sauce nuoc-mâm. Laisser évaporer 3 minutes.

Répartir la préparation au lait de coco dans les papillotes en silicone ou dans une feuille de papier sulfurisé carrée, ajouter les dés de poulet, verser un peu de lait de coco.

Fermer les papillotes avec soin. Laisser cuire 10 à 15 minutes.

Servir avec du basilic thaï et un citron vert.

poulet farci ricotta basilic

600 g de filet de poulet fermier
(soit un blanc par personne)
150 g de ricotta
30 g de pignons de pin
5 brins de basilic
12 tomates demi-séchées
poivre du moulin et fleur de sel
2 cuillères à café d'huile d'olive
1 brin de coriandre frais

Préchauffer le four à 210 °C (th. 7).

Tailler les filets de poulet en porte-feuille en incisant sur le côté du blanc des petites entailles. Mélanger la ricotta avec les pignons, le sel et le poivre. Ciseler le basilic puis l'ajouter au mélange.

Farcir les filets de poulet de ricotta au basilic puis ajouter 3 tomates demi séchées par filet. Ficeler les filets à l'aide de ficelle à rôti.

Pour préparer les papillotes, découper 8 feuilles de papier sulfurisé et les superposer deux par deux. Badigeonner la feuille du dessus d'huile d'olive à l'aide d'un pinceau.

Disposer un filet farci par papillote, ajouter un filet d'huile d'olive puis refermer hermétiquement les papillotes en paquet cadeau. Enfourner pendant 20 minutes environ.

Servir avec un brin de coriandre frais.

aiguillettes de poulet citron-miel

400 g d'aiguillettes de poulet
1 citron jaune
2 cuillères à soupe de miel liquide
sel, poivre
1 ou 2 pincées de piment doux
2 brins de coriandre frais
2 cuillères à soupe de sauce
« sweet chili »

Préchauffer le four à 220 °C (th. 7-8).

Dans un bol, mélanger le jus du citron jaune avec le miel liquide. Saler et poivrer généreusement. Ajouter 1 ou 2 pincée(s) de piment doux.

Mettre vos aiguillettes de poulet dans la préparation à mariner pendant 15 minutes au réfrigérateur. Râper finement les zestes de citron.

Pour préparer les papillotes, découper 8 feuilles de papier sulfurisé et les superposer deux par deux. Badigeonner la feuille du haut d'huile d'olive à l'aide d'un pinceau.

Disposer 3 ou 4 aiguillettes dans chaque feuille. Ajouter un peu de sauce citron-miel et quelques zestes de citron finement râpés.

Fermer la papillote avec soin, hermétiquement. Enfourner pendant 15 minutes environ.

Servir avec un brin de coriandre frais disposé sur les aiguillettes, une rondelle de citron et de la sauce « sweet chili ».

curry d'agneau minute

600 g de gigot ou de filet d'agneau
2 cuillères à soupe de curry
en pâte ou en poudre
25 cl de lait de coco
1 cuillère à café d'ail en semoule
1 cuillère à café de gingembre
en poudre
4 cuillères à soupe d'huile d'olive
4 brins de coriandre frais
4 brins de menthe frais
sel et poivre

Préchauffer le four à 180 °C (th. 6).

Couper l'agneau en dés de 2 cm de côté environ ou en lanières. Dans un saladier, mélanger la pâte de curry avec le lait de coco, l'huile d'olive, le gingembre en poudre et l'ail en semoule.

Ajouter les morceaux d'agneau coupés en gros dés ou en lanières dans la sauce. Retourner bien tous les côtés pour qu'ils s'imprègnent du mélange épicé.

Préparer 4 morceaux de papier sulfurisé de 20 sur 30 cm de côté. Badigeonner les feuilles d'huile d'olive. Disposer quelques dés d'agneau au centre, saler et poivrer. Refermer la papillote en fronçant les extrémités jusqu'au centre pour former une aumônière.

Déposer les 4 papillotes sur la plaque de votre four et laisser cuire 7 à 8 minutes.

Servir avec un riz thaï, ou en apéritif avec des piques en bois.

canard à l'orange express

600 g d'aiguillettes ou de filet
de canard
1 orange
1 cuillère à soupe de sucre roux
4 cuillères à soupe de miel liquide
2 cuillères à soupe d'huile d'olive
1 ou 2 pincées de paprika
4 brins de coriandre fraîche
sel et poivre

Préchauffer le four à 210 °C (th. 7).

Couper les aiguillettes de canard en deux. Dans un bol, mélanger le jus de l'orange pressée avec le sucre, l'huile d'olive, saler, poivrer. Ajouter 1 ou 2 pincées de paprika et le miel liquide. Bien mélanger la marinade.

Plonger les aiguillettes dans la marinade et laisser reposer 15 minutes au réfrigérateur.

Pour préparer les papillotes, découper 8 feuilles de papier sulfurisé et les superposer deux par deux. Badigeonner la feuille du haut d'huile d'olive à l'aide d'un pinceau.

Disposer 3 ou 4 aiguillettes dans chaque feuille. Ajouter un peu de marinade à l'orange, saler et poivrer de nouveau.

Fermer la papillote avec soin, hermétiquement. Enfourner pendant 10 minutes environ.

Servir avec un brin de coriandre frais sur les aiguillettes et des zestes d'orange.

foie gras vapeur

1 lobe de foie gras cru
(oie ou canard)
3 cuillères à soupe de vin cuit :
porto, madère ou cognac
fleur de sel de Guérande
poivre 5 baies à la cardamome

Dénerver le bloc de fois gras en retirant chaque petit nerf avec un petit couteau pointu.

Couper un morceau de film alimentaire transparent de 40 cm de long et le poser sur le plan de travail, disposer le lobe de foie gras par-dessus.

Arroser le foie avec le vin cuit. Saler et aromatiser avec les baies écrasées selon votre goût. L'envelopper hermétiquement et le laisser mariner au moins 30 minutes au réfrigérateur.

Sortir le lobe du réfrigérateur et l'envelopper dans une feuille de papier sulfurisé, fermer la papillote hermétiquement.

Faire cuire dans un panier vapeur 10 à 15 minutes (panier bambou, ou panier vapeur en métal) (four à vapeur, ou micro-ondes).

Sortir le foie gras du panier vapeur et le laisser refroidir.

Remettre au réfrigérateur pour 12 heures minimum avant de servir avec des toasts briochés.

tomates farcies en papillote

200 g de porc haché
200 g de chair à saucisse
aux herbes
50 g de parmesan râpé
4 belles tomates rondes type cœur
de bœuf
1 gousse d'ail
4 brins de basilic
4 brins de persil plat ou
de cerfeuil
1 cuillère à café de paprika
2 cuillères à soupe d'huile d'olive
sel, poivre 5 baies

Préchauffer le four à 180 °C (th. 6).

Découper le haut de la tomate, enlever le chapeau, vider l'intérieur de ses graines et de la pulpe, saler l'intérieur. Laisser s'égoutter les tomates à l'envers sur une grille ou sur du papier absorbant.

Hacher l'ail et les herbes fraîches. Mélanger dans un saladier les deux viandes hachées, l'ail, le paprika et les herbes. Remplir chaque tomate avec la farce aux herbes. Parsemer de parmesan râpé.

Disposer chaque tomate dans un rectangle de papier sulfurisé, préalablement huilé au pinceau. Replier en aumônière et fermer avec une ficelle de cuisine.

Enfourner pendant 35 minutes.

œufs à la crème en papillote

4 œufs
4 cuillères à soupe de crème
épaisse
20 g de bacon en lanières
ou de jambon fumé en bâtonnets
(ou saumon ou haddock fumé)
parmesan râpé (ou fourme
d'Ambert)
sel de Guérande et poivre du
moulin
2 brins de ciboulette ciselée

Préchauffer le four à 210 °C (th. 7).

Découper dans du papier sulfurisé 4 cercles de 25 à 30 cm de diamètre
à l'aide d'une assiette retournée. Certains rouleaux de papier sulfurisé vous
indiquent le diamètre à découper.

Rabattre les côtés pour former un petit contenant. Froisser le papier, casser
l'œuf dedans et mettre une cuillère à café de crème fraîche dans chaque
papier. Saler et poivrer. Mettre soit un peu de bacon en lanières, soit du
jambon cuit fumé en bâtonnets, saupoudrer de parmesan puis d'un peu
de ciboulette ciselée.

Refermer la papillote en aumônière et la fermer avec un morceau de
cordelette à cuisiner. Poser les aumônières sur une plaque ou dans un plat
allant au four. Enfourner pendant 12 minutes.

Servir la papillote dans une soucoupe avec deux ou trois mouillettes
beurrées.

mille-feuille d'aubergines tomates
à la Scarmozza

1 aubergine
2 grosses tomates
1 Scarmozza (mozzarella fumée)
2 cuillères à soupe d'huile d'olive
1 pincée de piment doux
1 pincée de cumin en poudre
4 brins de basilic
sel de Guérande
poivre du moulin

Préchauffer le four à 210 ° C (th. 7).

Couper l'aubergine en tranches de ½ cm d'épaisseur, les disposer dans une passoire avec du sel au-dessus de l'évier pour les faire dégorger.

Faire mariner les tranches d'aubergine dans une assiette creuse avec 2 cuillères à soupe d'huile d'olive, 1 pincée de piment doux, 1 pincée de cumin en poudre et le basilic haché menu. Laisser mariner au moins 15 minutes au réfrigérateur.

Couper les tomates et la Scarmozza en tranches de la même épaisseur. Couper 4 rectangles de 20 sur 15 cm dans du papier sulfurisé.

Superposer une tranche d'aubergine, une de tomate puis une de Scarmozza en mettant un peu d'huile d'olive entre chaque tranche. Saler, poivrer et mettre une feuille de basilic sur le dessus du mille-feuille.

Refermer le papier sulfurisé en petits paquets. Poser les papillotes sur une plaque ou dans un plat allant au four. Enfourner pendant 15 à 20 minutes.

papillote de légumes verts croquants

1 brocoli
200 g de haricots plats mange-tout
150 g de petits pois
3 mini courgettes
5 brins de coriandre
5 feuilles de menthe ciselée
huile d'olive
sel et poivre 5 baies

Préchauffer le four à 180 °C (th. 6).

Couper les courgettes et les haricots plats en deux. Mélanger tous les légumes. Couper 4 carrés de feuilles de papier sulfurisé de 20 cm de côté. Huiler au pinceau chaque feuille.

Disposer 1 ou 2 cuillères à soupe de légumes dans chaque carré, ajouter de la coriandre et de la menthe ciselée, saler et poivrer.

Refermer en aumônière avec une ficelle à rôti. Enfourner 10 à 15 minutes.

papillote d'asperges vertes aux crevettes

12 asperges vertes
1 petit poireau ou 2 cébettes
12 crevettes roses cuites
décortiquées
1 cuillère à café d'ail en semoule
huile d'olive
1 pincée de piment d'Espelette
1 cuillère à soupe de sauce soja
4 cuillères à soupe de vin blanc
sec
fleur de sel et poivre du moulin
2 brins de ciboulette ciselée

Préchauffer votre four à 210 °C (th. 7).

Faire mariner les crevettes pendant le temps de préparation des légumes dans l'huile d'olive avec le piment d'Espelette et la cuillère de sauce soja.

Faire bouillir dans une casserole 500 ml d'eau avec du gros sel, plonger les asperges, après avoir coupé le bout des tiges, pendant 4 minutes dans l'eau bouillante. Les réserver.

Couper le poireau en fines rondelles. Couper 4 rectangles de papier sulfurisé de 20 sur 15 cm. Badigeonner la feuille à l'aide d'un pinceau d'huile d'olive.

Disposer les rondelles de poireau, les asperges et enfin 3 crevettes par papillote dans les rectangles. Verser dans chaque papillote 1 cuillère à soupe de vin blanc, saler, poivrer et saupoudrer de ciboulette finement ciselée.

Refermer la papillote avec soin en petit paquet rectangulaire.

Enfourner 8 minutes.

pommes rattes surprises

500 g de pommes de terre
charlotte (rose) ou rattes de
calibre moyen
3 gousses d'ail
3 brins de cerfeuil
20 cl de crème fraîche épaisse
8 tranches de viande des grisons
ou « brasaola »
sel et poivre

Préchauffer votre four à 180 °C (th. 6).

Peler l'ail et l'écraser à l'aide d'un presse-ail.

Dans un saladier, mélanger les 20 cl de crème fraîche, l'ail en purée et le cerfeuil ciselé. Saler et poivrer généreusement.

Brosser et laver soigneusement les pommes de terre (2 ou 3 par personne selon leur taille). Entailler chaque pomme de terre dans le sens de la longueur.

Découper 4 rectangles de papier sulfurisé de 30 cm de côté, badigeonner chaque feuille d'huile d'olive à l'aide d'un pinceau.

Déposer 2 ou 3 pommes de terre coupées en deux dans chaque feuille, puis verser un peu de crème à l'ail dans l'entaille de chacune.

Refermer les papillotes hermétiquement en forme de paquet. Enfourner 30 minutes environ à four chaud.

Servir en ouvrant la papillote et déposer des tranches de viande des grisons dessus.

tomates cerises confites
au Brocciu et pistaches

150 g de fromage frais « Brocciu »
150 g de tomates cerises type
« cocktail »
2 cuillères à soupe d'huile d'olive
2 cuillères à soupe de pistaches
émondées
5 brins de basilic
sel de Guérande
2 cuillères à soupe de sucre roux
mélange 5 baies et poivre
un peu de roquette

Préchauffer votre four à 210 °C (th. 7).

Hacher finement les brins de basilic aux ciseaux : dans un verre, c'est plus facile. Couper les tomates cerises en 2 dans le sens de la hauteur.

Mélanger le Brocciu dans un petit saladier avec l'huile d'olive et le basilic, puis assaisonner à votre goût.

Découper 4 carrés de papier sulfurisé de 20 cm de côté, badigeonner chaque feuille d'huile d'olive à l'aide d'un pinceau.

Disposer deux grosses cuillères à soupe du mélange dans un des carrés de papier sulfurisé. Ajouter les tomates en rosace pour décorer, une cuillère à café de sucre roux, des pistaches et du basilic ciselé, puis refermer les bords en aumônière.

Poser les papillotes sur une plaque ou dans un plat allant au four. Laisser cuire pendant 10 minutes.

Servir avec un peu de roquette en décoration et des tartines de pain complet grillé.

courgette ronde farcie à la ricotta
& aux herbes fraîches

4 courgettes rondes moyennes
250 g de ricotta
5 brins de coriandre
5 brins de persil plat
2 brins de menthe
5 brins de basilic
1 œuf
1 petit bocal de coulis de tomate
2 cuillères à soupe de parmesan râpé
1 cuillère à soupe d'huile d'olive
sel de Guérande
poivre du moulin

Préchauffer votre four à 210 °C (th. 7).

Dans un saladier, mélanger la ricotta avec les herbes fraîchement ciselées, l'œuf, le parmesan, le sel et le poivre. Ajouter un léger filet d'huile d'olive.

Découper le chapeau des courgettes et les creuser délicatement. Farcir chaque courgette avec le mélange ricotta.

Découper 4 rectangles de 20 sur 30 cm dans le papier sulfurisé, badigeonner chaque feuille d'huile d'olive à l'aide d'un pinceau.

Ajouter une cuillère à soupe de coulis de tomate dans chaque papillote. Déposer une courgette farcie dans chaque feuille et refermer les papillotes hermétiquement en forme d'aumônière en fronçant les extrémités vers le centre. Fermer avec de la ficelle à rôti.

Enfourner 20 minutes à four chaud.

fruits rouges façon « crumble »

600 g de fruits rouges
(framboises, myrtilles, groseilles,
cerises)
10 g de sucre vergeoise
8 spéculos
4 cuillères à café de crème fraîche
épaisse

Préchauffer votre four à 180 °C (th. 6).

Laver les fruits rouges délicatement. Pour préparer les papillotes, découper 4 feuilles de papier sulfurisé de 20 cm de côté.

Disposer des fruits dessus et saupoudrer un peu de sucre vergeoise. Écraser tous les spéculos dans un bol. Parsemer les fruits de miettes de spéculos et verser de la crème dans chaque papillote.

Fermer hermétiquement la papillote puis enfourner 6 à 8 minutes.

tatin pomme/poire

2 poires mûres
2 pommes rouges
le jus d'un demi-citron
4 cuillères à café de sucre en
poudre
50 g de cerneaux de noix ou de
noix de pécan
4 cuillères à café de vin cuit
(porto)
4 cuillères à café de sirop d'érable
1 cuillère à café de mascarpone

Préchauffer votre four à 180 °C (th. 6).

Peler les poires et non les pommes puis les couper en tranches régulières pas trop fines. Les arroser de jus de citron. Pour préparer les papillotes, découper 4 feuilles de papier sulfurisé de 20 cm de côté.

Répartir des lamelles de poires et de pommes et saupoudrer un peu de sucre en poudre.

Répartir les cerneaux de noix, verser une cuillère à café de porto et 1 cuillère à café de sirop d'érable. Refermer la papillote hermétiquement. Enfourner 8 à 10 minutes.

Servir avec de la crème fraîche épaisse ou du mascarpone.

remarque
Si vous disposez d'une papillote en silicone, sautez les étapes de la préparation du papier sulfurisé et préparez votre tatin pomme/poire directement dans votre papillote, comme nous l'avons fait pour la photo !

banane flambée au chocolat

4 bananes
sucre moscavido (sucre non
raffiné) ou un sachet de sucre
vanillé
4 cuillères à soupe de rhum
½ tablette de chocolat noir à la
fleur de sel
à défaut une pincée de fleur de sel

Préchauffer votre four à 180 °C (th. 6).

Couper les bananes en deux dans le sens de la longueur.

Pour préparer les papillotes, découper 4 feuilles de papier sulfurisé
de 20 cm de côté. Disposer les bananes et saupoudrer un peu de sucre
moscavido ou de sucre vanillé. Verser un peu de rhum, puis disposer
1 ou 2 carrés de chocolat. Fermez hermétiquement la papillote,
enfournez pendant 10 à 12 minutes.

Servez la papillote avec un petit biscuit sablé rond au beurre.

remerciements et shopping

Merci à Gisèle Gaudissart pour son accueil chaleureux chez Bulthaup ;
Merci à David Japy pour son enthousiasme et pour avoir « presque » tout goûté ;
Merci à An Schaubroeck pour sa gentillesse ;
Merci à Isabel pour la recette de la dorade à l'orange ;
Merci à Marie pour celle du rôti de lotte au haddock ! sacrée cuisinière ;
Merci à Emmanuel et Rose-Marie pour la confiance qu'ils m'ont toujours portée ;
Merci à Françoise, Welcome !
Merci à Anthony pour son soutien « cellule de crise » ;
Merci à mes parents pour « TOUT » ;
Et un non merci à la mystérieuse planche à découper balladeuse !!! allez, reviens ! :-)

Cuisine Bulthaup
Conception et réalisation : co.re.am odéon
6, rue Monsieur le Prince - 75006 Paris
Tél. 01 43 29 18 17
www.bulthaup-odéon.com
Pages : 45, 55, 57, 67

ASA Selection
www.asa-selection.de

Libeco (Lins)
www.libeco.com
Pages : 11, 13, 19, 23, 27, 35, 37, 41, 53, 69

Itinéraires (meubles et décoration)
120, rue Rambuteau - 75001 Paris
01 40 13 95 95
Pages : 11, 17, 19, 23, 25, 29, 33, 39, 41, 47, 51, 59, 63, 71

Ressources (marchand de couleurs)
62, rue la Boétie - 75008 Paris
01 45 61 38 05
Pages : 21, 31, 37, 61, 65

Margote céramiste
www.margoteceramiste.wordpress.com
Page : 31

Bodum
www.bodum.fr
Pages : 13, 29, 37, 39, 55, 57, 61

Muji
www.muji.fr
Pages : 15, 21, 25, 31, 35, 43, 47, 57, 59, 63, 65, 71

Montgolfier
www.montgolfier.fr
Pages : 29

Conran Shop
www.conranshop.fr
Pages : 21, 25, 39, 43, 45, 49, 51, 55, 59, 63, 69

Mud Australia
www.mudaustralia.com
Pages : 13, 15, 23, 65

Home autour du monde
(Atelier Bélard Création)
Pages : 11, 17, 19, 27, 37, 71

Janine Cros (lins)
11, rue d'Assas - 75006 Paris
01 45 48 00 67
Page : 51

Merci (Royal Boch et Wedgwood)
111, bd Beaumarchais - 75003 Paris
Pages : 17, 41, 49, 57, 59

Agape
91, rue Jean-Baptiste Clément - 92000
Boulogne Billancourt
Page : 11

Lemo (biocoop)
66, bd Sébastopol - 75003 Paris
Page : 67

Habitat
www.habitat.fr
Pages : 29, 35

© Hachette Livre - Marabout 2010
Dépôt légal : mars 2010 / ISBN : 978-2-501-06426-2 / 40-5178-5 édition 01
Imprimé en Espagne par Graficas Estella